DATE DUE			